KB208764

Madame
LUMINEUSE

Collection MADAME

MONSIEUR MADAME ™

Publié pour la première fois par Egmont sous le titre *Little Miss Sparkle* en 2016.
MONSIEUR MADAME™ Copyright © 2016 THOIP (une société du groupe Sanrio). Tous droits réservés.
Little Miss Sparkle © 2016 THOIP (une société du groupe Sanrio). Tous droits réservés.
Madame Lumineuse © 2016 THOIP (une société du groupe Sanrio). Tous droits réservés.

Madame
LUMINEUSE

Roger Hargreaves

Écrit et illustré par Adam Hargreaves

hachette
JEUNESSE

Madame Lumineuse était une personne pleine de vie.

Elle était si joyeuse qu'elle brillait et scintillait comme un ciel étoilé.

Elle aimait discuter, chanter et jouer…

Mais ce qu'elle aimait par-dessus tout, c'était danser !

Elle dansait avec tout le monde.

Avec monsieur Glouton, par exemple.

Ou monsieur Maigre.

Ou encore avec monsieur Maladroit...
même s'il lui marchait sur les pieds.

Plus elle dansait et plus elle était heureuse.

Et plus elle était heureuse, plus elle brillait et scintillait !

Ce qui était plutôt pratique en pleine nuit.

Tout était merveilleux pour madame Lumineuse.

Enfin, tout était merveilleux…
jusqu'à la semaine dernière.

Lundi, il se mit à pleuvoir et madame Lumineuse
découvrit que madame Canaille lui avait fait
des trous dans son parapluie, si bien
qu'elle se retrouva trempée.

Mardi, madame Autoritaire lui demanda d'arrêter de chanter.

– Vous me donnez mal à la tête ! lui cria-t-elle.

Mercredi, monsieur Malpoli roula dans une grande flaque d'eau si bien qu'elle se retrouva à nouveau trempée des pieds à la tête.

Jeudi, elle attrapa le rhume de monsieur Atchoum.

Et vendredi, monsieur Mal Élevé lui dit qu'elle était vraiment ridicule quand elle dansait. Quelle horrible semaine ce fut pour madame Lumineuse !

Au début du week-end, madame Lumineuse
avait donc le moral au plus bas.

Elle n'avait plus du tout envie de discuter,
de chanter ou de jouer.

Elle n'était plus d'humeur à danser non plus.

Et surtout, quelque chose avait changé en elle.

Elle ne brillait plus, elle ne scintillait plus…
Elle avait perdu tout son éclat !

– Je ne brille plus, j'ai perdu toute ma lumière, pleurait-elle lorsque monsieur Étonnant passa devant chez elle.

– Oh, non ! s'écria-t-il. Quand l'avez-vous vue pour la dernière fois ? Peut-être est-elle sous l'escalier ?

Il se pencha alors pour regarder, mais il ne remarqua aucune lumière. Où était-elle donc bien passée ?

– C'est tout de même très étonnant ! dit madame Lumineuse en souriant malgré tout.

Monsieur Étonnant se mit à réfléchir longtemps.

Comment pouvait-il aider madame Lumineuse ?

Et soudain, il eut une idée.

Il se précipita dans un magasin et acheta des paillettes.

– Ce n'est pas tout à fait la même chose…
gloussa madame Lumineuse.

– Peut-être votre lumière n'est-elle pas perdue.
Peut-être joue-t-elle à cache-cache, tout simplement !
s'exclama monsieur Étonnant.

Il se mit à fouiller toute la maison : dans les placards,
sous le lit et même dans le réfrigérateur.

Mais, comme tu peux t'en douter, il ne la trouva pas.

– Vous êtes tellement étonnant ! s'écria madame Lumineuse en riant.

Et elle rit si fort qu'elle se mit à briller de plus en plus.

Et plus elle brillait, plus elle scintillait !

Finalement, elle brillait des pieds à la tête et rayonnait de la joue gauche à la joue droite.

– Ah! s'exclama monsieur Étonnant. C'est beaucoup mieux comme ça : vous voici redevenue vous-même !

– Regardez ! Même mes orteils brillent ! se réjouit madame Lumineuse.

– Des orteils scintillants ! admira monsieur Étonnant.

Madame Lumineuse était si heureuse d'avoir retrouvé sa lumière qu'elle se mit à danser dans la cuisine, puis tout autour de la table… et même sur la table !

Sur le chemin de sa maison, monsieur Étonnant se dit que lui aussi avait bien besoin d'un peu de lumière.

Il s'arrêta devant un magasin mais hésita à entrer. Il se sentit soudain un peu idiot, car il ne savait pas trop s'il devait demander un pot de lumière ou une boîte de lumière…

Sacré monsieur Étonnant !

Il aurait bien besoin de madame Lumineuse pour l'éclairer !

RÉUNIS VITE LA COLLECTION ENTIÈRE

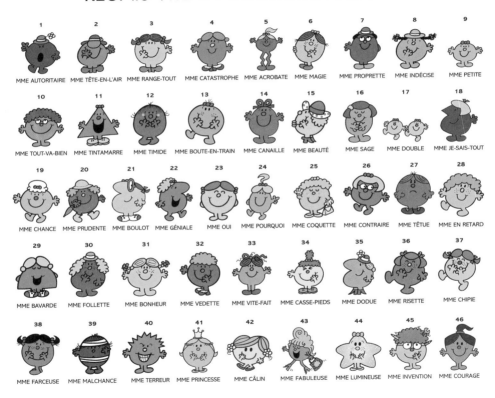

DES **MONSIEUR MADAME**

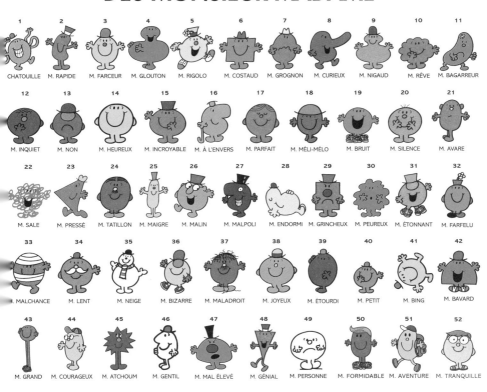

1 CHATOUILLE	2 M. RAPIDE	3 M. FARCEUR	4 M. GLOUTON	5 M. RIGOLO	6 M. COSTAUD	7 M. GROGNON	8 M. CURIEUX	9 M. NIGAUD	10 M. RÊVE	11 M. BAGARREUR
12 M. INQUIET	13 M. NON	14 M. HEUREUX	15 M. INCROYABLE	16 M. À L'ENVERS	17 M. PARFAIT	18 M. MÉLI-MÉLO	19 M. BRUIT	20 M. SILENCE	21 M. AVARE	
22 M. SALE	23 M. PRESSÉ	24 M. TATILLON	25 M. MAIGRE	26 M. MALIN	27 M. MALPOLI	28 M. ENDORMI	29 M. GRINCHEUX	30 M. PEUREUX	31 M. ÉTONNANT	32 M. FARFELU
33 M. MALCHANCE	34 M. LENT	35 M. NEIGE	36 M. BIZARRE	37 M. MALADROIT	38 M. JOYEUX	39 M. ÉTOURDI	40 M. PETIT	41 M. BING	42 M. BAVARD	
43 M. GRAND	44 M. COURAGEUX	45 M. ATCHOUM	46 M. GENTIL	47 M. MAL ÉLEVÉ	48 M. GÉNIAL	49 M. PERSONNE	50 M. FORMIDABLE	51 M. AVENTURE	52 M. TRANQUILLE	

Traduction : Anne Marchand Kalicky.
Édité par Hachette Livre, 58 rue Jean Bleuzen 92178 Vanves Cedex.
Dépôt légal : octobre 2016.
Loi n° 49-956 du 16 juillet 1949 sur les publications destinées à la jeunesse.
Achevé d'imprimer par Rotolito Romania en Roumanie.